KB103658

슬픔의 그 어디쯤 서 있는 너에게

슬픔의 그 어디쯤 서 있는 너에게

장현정 지음

BOOKK

차례

들어가며

매일 살아갑니다.

가끔 넘어지기도 하고 울음이 차오르기도 합니다.

수많은 감정의 숲속을 헤매다가

물씬 바깥 공기가 들어옵니다.

살아가라고 작게 속삭입니다.

장현정

1부) 살아가는 나날들

1

그를 보았다.
멈춰서 하늘을 바라보는.
하늘은 높고 맑고 아무 말도 하지 않았지만
그는 잠시 후 흐느꼈다.
존재의 유한에 묶여 있어서.

1

I looked at him.
He paused and looked up the sky.
The sky was high, transparent, and wordless
but he, a few minutes later, wept.
Cause he is on boundness in the limit of the existence.

2

조금만
그리고 조금씩
삶에 기대할 뿐이다.
거대한 나무가 되지 않아도 된다.
비가 오는 날,
우산 하나면 된다.
그렇게 자신을 사랑한다.

2

A bit,
and little by little,
I just look forward to this life.
I don't need to be a huge tree.
When it rains,
an umbrella.
Like that, I love myself.

3

삶의 과제,
온전히 자기 되기.
그리고 저녁이 되면
기도드리는.
아름다운 삶이다.

3

Task of my life,
it means I become myself wholly.
And when evening comes,
I make a prayer.
It's a beautiful life.

4

그림을 그렸다.
납작한 사람.
물감이 상처를 낸다.
난처하다.
그는 고독하다.
오랫동안 벽에 걸려 있으면서
자기 아픔 속으로 들어가
그렇게 자기 존재를 사랑할 줄 안다.

4

I drew a piece of painting.
A flat person.
Paints make hurt on him.
Feel embarrassing.
He lives in solitude.
Staying on the wall for a long time,
he enters his own pain,
and knows how to love self-existence.

5

그리움이 깊다.
천천히 걸어가며,
꽃이 피어나고,
슬픔을 느끼며.
그때의 너를 여전히 사랑한다.

5

My longing is deep.
Walking slowly,
and blooming the flowers,
and feeling the sorrow.
I still love you of the time.

6

저녁이다.
삶이 회전을 멈추고
내면을 응시한다.
오늘 하루 온전히 내 삶이었다.
시간은 잠시 멈춰 내게 미소 짓는다.
내일은 더 잘할 거야.

6

It's evening.
Life paused its rotation,
and it stares at my inner side.
I lived today wholly.
Time halts for a moment and smiles at me.
You will do better tomorrow.

7

좌절이 깊다.
무얼 해도 실패했다.
늘 삶이 배반하는 것 같다.
그렇게 푹 웅크리고서 흐느낀다.
삶이 거기에서 시작된다.
의미 하나, 건진다.

7

It's a deep frustration.
Whatever I did, I failed.
Life seems that it always betrays me.
I just crouch my body and weep.
Life begins from that.
I just get, a piece of meaning.

8

꿈을 꾼다는 것은 잔인한 일이다.
현실을 견디고 견디고 견디어내어서
겨우 꿈에 한 발자국 디딘다.
하지만 꿈 없는 시간은 더 견디기 힘들다.
꿈을 꾸는 시간,
나를 이루어나가는 시간.

8

Dreaming is cruel.
I endure, endure, and endure the reality,
and am narrowly getting close to the dream.
But the time without a dream is harder to endure.
I dream,
and it's time to make me come true.

9

모든 것이 흘러간다.
내 삶도 옛사랑도 그리고 꿈도.
모든 것이 지금은 이별이다.
그럼에도 괜찮다.
그대만 곁에 있다면.

9

Everything flows.
My life, old flame and dream, as well.
Everything is a farewell now.
Nevertheless, it's alright.
If you are beside me.

10

인생이 숙제를 낸다.
반드시 무언가를 시작하기를,
그래서 어떤 끝맺음을 이루어내기를.
그 첫 실행이 보여주는 길을 따라서
그렇게 걸으면 된다.
여정은 그렇게 완성되어 간다.

10

Life requires assignments to do.
I certainly have to begin something,
and hope that I do achieve a kind of ending.
Following the road that the first behavior shows,
it's okay to walk go on like that.
Journey is being completed like that.

11

때로 우리에게 필요한 건
자신의 길을 갈 용기.
그렇게 무언가를 완성해보는 것.
자기 삶을 그렇게 세워나가는 것.
행복이다.

11

Thing that we sometimes need
is the courage to go one's own way.
To complete something like that.
To build one's own life like that.
It's happiness.

12

비가 내린다,
내 삶의 어느 순간.
잠시 쉬어간다.
항상 걷거나 뛸 순 없다.
어딘가에 닿을 것이다.
포기만 하지 않는다면.

12

It rains,
in a moment of my life.
I pause and take a rest for a moment.
I can't always walk or run.
I will reach somewhere.
If I don't give up.

13

자기 삶을 살아야 한다.
자기만의 성공을 이루어야 할 뿐.
다른 이들의 성공과
자신이 처음 피워낸
못생긴 작은 열매를 비교하지 않는다.
자기 의미를.

13

I ought to live my own life.
I should only realize my own success.
I don't compare other's successes and my first fruit
that looks ugly and small.
It's about one's own meaning.

14

자리에 앉아서
문득 눈물 한 방울.
존재의 본질과 존재 방식에 대하여.
나는 나답게 살아야 하는구나.
문득 미소.

14

Sitting down,
a drop of a tear, before I know it.
About the essence of a being and how to exist.
I should live like my own method.
A smile, before I know it.

15

고민의 끝에서
내 삶을 살기로 하다.
충분히 찢어졌지만,
그래도 다시 일어선다.
안개는 걷히고
다시 시작한다.

15

In the end of worry,
I decided that I would live my own life.
I was torn enough,
but I stand up again.
The fog lifts,
and I begin again.

16

삶의 과제는
자기 성공이다.
자기만의 일로
사회 속에 진입하는 일이다.
자기 삶이 힘을 갖게 되는 지점.

16

The task of our lives,
is our own successes.
With one's own work,
we go into the society.
It's the place that one's own life has a power.

17

작은 마음을 품는다.
실수를 해도 괜찮도록.
조금씩 앞으로 나아간다.
그러다가 무언가를 발견하고는
그것을 해낸다.
시야가 넓어졌다.

17

I bear a small heart.
To take a mistake would be allowed.
Go forward little by little.
And found something,
and did it.
Insight is wider than before.

18

생각한다.
생각으로 오늘 일을 해냈다.
가끔은 열심히 생각하고
가끔은 덜 생각한다.
생각은 때로 시끄럽다.
무언가를 하기 위해서 온갖 애를 쓰니.

18

We think of something.
Did today's work with thoughts.
We sometimes think hard,
and we sometimes think less.
Thought is sometimes noisy.
To make lots of efforts to do something.

19

보통 사람으로 살기.
하나만 생각하면 돼.
재능을 타인을 위해 쓸 것.
구체적인 과정은 개인의 과제.
보통의 그 작고 소중한 삶.

19

To live as an ordinary person.
Necessary is just one.
To use a talent for others.
A concrete process is an individual task.
The small, precious life as an ordinary shape.

20

살아간다는 건
그럼에도 불구하고이다.
힘들거나 슬퍼도
자신을 포기하지 않음.
끝까지 자기 삶을 지키는 것.

20

To live means
nevertheless itself.
When feel hard or sad
but we should never give up.
To guard one's own life to the end.

21

어두운 방 안.
상념이 맴돈다.
온갖 생각이 흐르다가
잠든다.
깨어나면 다시 살아갈 수 있다.

21

In a dark room.
Thoughts circle.
Lots of thoughts flow,
and I sleep.
When awaken, I can breathe again.

22

기다림이 더는 의미가 없는
그 시간의 가장자리에서
나의 삶을 살기로 하다.
그리움의 바람을 빼니
심장은 오그라들었다가
다시 새 마음으로 뛰기 시작한다.

22

Longing is not meaningful any more.
On the edge of the time,
I decided to live my own life.
As I deflate the wind of the longing,
my heart shrinks,
and it beats again with a new mind.

23

가을의 저녁,
사랑했던 나날들이 저문다.
끝이 왔음을 안다.
더는 너의 손을 잡을 수 없다는 것.
그럼에도 나는 살아야 한다.

23

An evening of the fall,
Days in love get dark.
Know that I face the end of us.
I can't hold your hands any more.
Nevertheless, I ought to live.

24

돌아서야 했다.
미련 두지 말라고 했다.
그렇게 멀어져 가다가
문득 돌아보니
그는 돌아서서 눈물짓네.

24

I had to turn away from him.
He said, “Don't have a lingering love on me.”
Moving away from him,
when I look back suddenly,
he shows his back and weeps.

25

어느 순간 삶을 돌아보며
고단하다.
할 수 있는 일들을 했지만,
결과는 비참하다.
앞으로는 어떻게 걸어가야 할까.
꾸준히 내 삶을 살 수밖에.
그래서 타인과 나를 비교하지 않기를.
내가 살아가는 방식을 그대로 사랑하기를.

25

At some point, looking back on my life,
feel tired.
Did all things that I could do,
but the result is miserable.
How can I walk towards the future from now on?
It is only necessary that I would live my life constantly.
So I wouldn't compare me and others.
I will love the method I live as it is.

26

거미 한 마리가
집을 짓는다.
덫을 만든다.
거미 한 마리조차
살아가기 위해 애쓴다.

26

A spider
builds its house.
and makes its trap.
Even a spider
tries to live.

27

한 명의 친구는
높은 산을 넘게 하고
넓은 바다를 건너게 한다.
그렇게 한계를 극복하는 힘은
친구의 진심 어린 격려 덕분이다.

27

A friend
lets me climb a high mountain,
lets me cross a wide ocean.
The power to overcome the limitation,
comes from the friend's earnest encouragement.

28

괴로운 밤이다.
혼자서 책을 뒤적인다.
괴로움이 깊고
책 속의 말들로 위로를 얻는다.
내 삶에 대하여
나만이 해내야 할 과제가 있다고 말한다.
고개를 끄덕인다.
괴로움이 가신다.

28

It's a painful night.
I just leaf through the books.
The pain is deep,
and I get consolation from the words of the books.
About my life,
the books say that there are tasks I should only do.
I nod.
Pain is away.

29

책은 방향을 지시한다.
사랑은 그 자체로 목적.
하나의 길을 걸으며
때론 책, 때론 사랑.
그리고 때론 빗자루.
때론 사소한 일도 삶의 일부분.

29

Books indicate the direction.
Love is the purpose itself.
Walking on one way,
I choose sometimes books, sometimes love.
And sometimes a broom.
A trivial thing is sometimes a part of a life.

30

강아지 한 마리가
처음으로 짖었다.
자기에게 놀란 강아지는
다시 한번 짖는다.
세상을 향해 자신을 알린다.

30

A puppy,
barked for the first time.
The puppy astonished by itself,
barks again.
It informs the world of its being.

31

우리 자신을 사랑한다.
우리 자신을 기대하고
뭔가를 해냈다.
포기하지 않는다.
그렇게 우리 자신을 완성해 나간다.

31

We love ourselves.
We expect ourselves,
and we have done something.
We don't give up.
We make ourselves complete go on.

32

그리움의 조각들을 가진 자는
삶을 이해한 자다.
더는 또 다른 사랑을 소유할 수 없어도,
마음 깊은 곳
그는 모든 걸 소유했다.

32

The person who has the pieces of longing
is the person who understands life.
Though he or she can't possess another love any more,
in deepness in hearts,
he or she possesses everything.

33

삶이 흐른다.
어디로 향하는지는 모른다.
그저 바로 앞을 보며
오늘도 걸어갈 뿐.
그 바로 앞 한걸음이 쌓여
자기 인생을 세운다.

33

Life flows.
I don’t know where it goes toward.
I just see ahead,
and I am only walking today.
Accumulating each step ahead,
I build my own life.

34

위대한 순간으로의 동경,
어제는 존재하지 않았던 생각,
앞으로 나아가게 하는 내면적 힘,
그 모든 힘이
내 안에 잠재되어 있다.
그러므로 나 자신이 설렌다.

34

Yearning toward a great moment,
Thought that didn't exist yesterday,
An internal power to go forward,
all the powers
stay in my heart as the form of possibility.
Therefore, I make myself feel loftier.

35

사랑이 끝났을 때,
고통이 의식을 덮었다.
며칠이, 몇 주가, 몇 달이 지난다.
아픔이 흐려졌다.
다시 살아가라고 한다.

35

When love finished,
pain covered my consciousness over.
A few days, a few weeks, and a few months have passed by.
The pain became blurred.
It tells me that I should live again.

36

무언가를 하는 행동은
수많은 고민과 의지의 결과다.
선택하고 공부하고 그리고 인내한다.
그 행동이 결과를 내지 못했을 때
그저 미소 한 번 짓고
다시 하면 된다.

36

The behavior to do something
is the result of lots of anguish and will.
I choose, study, and make patience.
Even though the behavior didn't make any result,
I just smile once,
and do it again.

37

앞으로 나아가는 삶.
무엇을 해도 미래 가치를 선택하고
그렇게 자신의 가치를 높이는.
가능성의 자신이
현실이 되는 순간순간.

37

The life to go forward.
Whatever I do, I choose the future values,
and make my own values be loftier.
One's own self in possibility
comes true something into the reality each moment.

38

삶의 하나의 중요한 목표는
얼마나 자기 자신이 되겠는가이다.
비가 내리고 바람이 불고
계절이 바뀌고
나는 얼마나 나 자신이 되었는가.

38

One important goal of a life
is how much my own self would be myself.
It rains and the wind blows,
and the season is changed,
and how much am I close to myself?

39

살아가는 모습이 서툴지라도
자기 삶을 소중히 여긴다.
더듬더듬 자기가 해야 할 일을 하며
자기 삶을 사랑한다.
그렇게 조금씩 살아가는 기술을 더해간다.
유능해진다.

39

Even if the shape to live is clumsy,
I should think of my life as a precious one.
I fumble with something that I should do,
and love my life.
Like this, I add the skill to live.
Becoming able.

40

사색과 향유의 시간이 있다.
자신에게 깊이 침잠한다.
무언가를 깊이 이해한다.
무언가를 깨달았을 때
깊음으로부터 깨어난다.

40

There is the time of contemplation and enjoyment.
I sink into myself deep.
I understand something deep.
When I realize something,
I awaken from the deepness.

41

자기 의미를 만든다.
내게 소중한 무엇과 그것의 가치.
의미를 생성하는 일을 한다.
시간이 흐르고
자기 삶이 자기만의 모습으로 완성된.

41

Make one's own meanings.
Something important to me and its values.
I do things to create meanings.
Time passes by,
my life is completed as my own shape.

42

고양이가 졸음에 휩싸인다.
하품을 하고 잠이 든다.
돈을 벌 수는 없지만,
잠든 고양이의 모습만으로도
사랑스럽다.

42

A cat is covered with sleepiness.
It gives a yawn and fall into a sleep.
It can't earn money,
but only by its shape to fall asleep,
it is worth enough.

43

쥐 한 마리,
벽 뒤에서 엿본다.
무언가 먹을 게 있는지,
꼬리를 감추며 사라진다.
다른 곳에서 냄새가 난다.

43

A mouse,
it peeps behind the wall.
Whether there is something to eat,
it hides its tail and disappears.
It smells from somewhere else.

44

자신을 사랑하는 일은
자신의 꿈에 대해 진지한 경우다.
그 꿈이 무엇이든,
그것은 자신이 사랑하는 일이다.
생애 내내 사랑하는 일을 할 수 있기를.

44

To love one's own self
is the case that we are serious towards one's own dream.
Whatever the dream is,
it is the thing that one's own self loves.
Hope we do things we love for lifetime.

45

다시 사랑할 수 없을 것 같다.
그땐 자기 일에 집중하면 된다.
애써 다른 사랑을 구하지 않아도
인연이 있다면
다시 다가온 손 잡으면 된다.

45

It seems that we can't love any more.
Then, we are able to focus on our own work.
Even though we don't try to find another love,
if there is a tie,
then we can hold another love.

46

자기만의 작은 자리를 만든다.
내가 온전히 쉴 곳.
방해받지 않고,
자신을 온전히 생각할 곳.
그곳에서 꿈이 이루어진다.

46

Make one's own small place.
It is the place where I can take a rest completely.
Without any interruption,
it is the place to think of me completely.
My wish is realized there.

47

그렇게 사랑이 가고
혼자가 되었다.
꿈을 이루기로 마음을 먹는다.
이제 중요한 건 나 자신과 내 꿈.
냉정해지기로 했다.

47

Love is gone like that,
and I become alone.
I make a decision to realize my dreams.
Now, the important thing is my own being and dreams.
I would keep myself cold.

48

삶은 때로 변화를 요청한다.
반복을 멈추고,
새로운 형식을 시도하기를.
그 속에 무언가가 잠들어 있고
낯선 나와 만난다.

48

Life sometimes requires changes.
Pause the repetition,
and try a new form.
Something slept in it,
and I meet myself as an unfamiliar one.

49

어느 순간 내 삶을 살기로 했다.
누가 시킨대로가 아니라
내가 주도적으로 내 삶을 사는 것이다.
그것은 내 삶을 의미로 채우는 일이고
또 나대로 존재함을 키우는 일이다.

49

At some point, I decided to live my own life.
It doesn't mean that somebody orders me to do,
but I would take a lead my life.
It fills my life with meaningness,
and it also raises me as my own existence.

50

꿈 하나 달랑 갖고서
꽃다발을 만들었네.
받는 이 기뻐하네.
작은 미소 하나 짓고서
모두의 마음을 훔쳤네.

50

With a dream,
I made a bouquet.
The person who gets it, is pleased.
With a small smile,
I stole the hearts of all.

51

사랑이 쇠하여도
주고받은 언어는 쉬이 사라지지 않는다.
그 모든 언어에 사랑 후의 아픔이 묻었기에
시간이 지나고 사랑이 쇠한 자리에는
샛노란 민들레꽃 한 송이가

51

Love faded,
but the words that we exchanged don't disappear easily.
All the words were smeared with pain after love,
in the place where time passed by and love faded,
a yellow dandelion blooms.

52

결국 감정을 정리해야 하는 것도,
혼자서다.
눈물 어릴 수밖에.
진심으로 사랑했으니까.
아픔이 조금 덜해지면
무언갈 시작해야겠다.

52

About arranging emotions,
I have to do it alone.
I can't help but cry.
Loved him earnestly.
If this pain decreases a little,
I should begin something.

53

자기 삶에 욕심내기를.
원하는 모습에 닿기를.
앞으로 나아가기를.
성장하고 성장하기를.
문득 그를 잊었다.

53

To have greed toward my life.
To reach the goals that I wanted.
Go forward.
Let me grow and grow.
I forgot him before I know it.

2부) 슬픔의 그 어디쯤 서 있는 너에게

슬픔을 대신할 감정에 물들고 있어

슬픔이 너무 깊어서 마음이 묵직해진다. 눈물로 꽉 잠긴다. 어떤 생각도 이성적이지 못하고 슬픔 속에 파묻혀버린다. 어떤 위로도 어떤 조언도 이 상태를 해결하지 못한다. 슬픔의 무게에 모든 것이 정지한다.

- 우울증이야. 병원 가서 상담받고 약 먹으면 괜찮아질 거야.
- 차라리 우울증이라서 약 먹어서 나아지면 좋겠어요.
- 그 정도로 아프니?
- 네.

슬픔은 아픔에서 비롯된다. 약간 버거운 인생이었다. 노력했지만 보기 좋게 실패했다. 어린 나이였다. 사랑했지만 헤어져야 했다. 어린 나이였다. 사랑하는 친구를 잃었다. 어린 나이였다. 그 아픔들이 낫지 않은 채 시간이 흘렀고 마음속에 피가 한 방울 맺혔다.

- 저, 괜찮아요.
- 정말이니?
- 네. 이 슬픔은 조금씩 다른 무언가로 바뀌고 있어요.
- 무얼로 바뀌고 있니? 슬픔의 무게가 조금이라도 가벼워진 거니?

- 물들고 있어요. 나를 사랑하는 이토록 애틋한 감정에.
- 좋구나.
- 네.

슬픔의 묵직함은 조금씩 비워진다. 삶의 무게를 겪어내는 건 누구에게나 내린 숙제다. 나도 그러한 숙제를 이제 해내려고 한다. 오래전의 고통과 그것이 만든 슬픔을 나이가 든 내가 이해 속에 둘 수 있게 되었다.

자신과 자기 삶을 이해하는 것 - 그 속에서 슬픔이 여과된다. 그리고 그 속에서 한 단계 더 높은 삶으로 나아가게 된다. 힘들었고 약했던 자신을 사랑하게 된다. 이토록 애틋하게 자신을 사랑하게 된다.

상처와 그리움은 가끔만 생각할래

목적도 없이 뛰어가다가 마음속이 울컥한다. 어느새 내 안에 자리를 잡은 상처를 마주한다. 언제 내 안으로 들어왔니, 물어보아도 이유 없이 쓰라리기만 하다. 무엇 때문에 그 상처가 생겼는지 대충 짐작은 가도 가장 큰 원인은 그 당시에 문제를 해결할 능력의 부재 때문이다.

- 무엇 때문에 제 안에 상처가 생겼는지 모르겠어요.
- 삶의 여러 모습들을 전부 되새김질 하니까 그래.
- 어떤 건 보내버리고 어떤 건 간직해야 하죠?
- 그래야 하지. 하지만 이것저것으로부터 받은 상처가 너로 하여금 더 많은 것을 보게 하지.
- 왜 그렇게 생각하세요?
- 그저 받아들이는 것들은 아무 무게도 남지 않고 네 밖으로 나가버리지만 일단 생각할 만한 것들은 네게 그것이 상처가 되든지 아니든지 너의 사유를 깊이 있게 하지.
- 그래도 상처는 싫어요.
- 나도 그렇단다.

문득 상처 속에 있는 그를 본다. 상처 속의 그는 그리움으로 남는다. 그리고 그 그리움은 언제고 소멸한다. 마음이 휼렁하고 텅 빈다. 한때 깊은 상처와 고통으로 얼룩졌던 그에 대한 그리움은 사라지고 한껏 깊어진 눈빛의 나를 발견한다. 그러다가 상처와 그리움이 기억 저 밑에서 솟구칠 때 나는 아주 가끔만 상처와 그리움을 생각하기로 하였다.

누군가가 내 이름을 불러주었으면

겨울밤, 혼자서 책을 읽는다. 집은 고요하고 나는 그 속에서 나를 찾아 헤맨다. 자신을 발견하고 무언가를 해내야 한다고 책이 말한다. 멈추지 말 것, 계속해서 나아갈 의지를 갖출 것, 날마다 필요한 공부를 할 것, 그런 것들을 갖추라고 말한다.

- 현정아
- 현정아

책이 내 이름을 부드럽게 불러준다. 좀 전에는 차가운 말투의 책이었지만 내 이름을 두 번이나 부른 책은 나의 마음을 따듯하게 해준다. 책이 아닌, 나를 아끼는 사람들이 내 이름을 두 번 불러주었으면. 그러면 얼마나 좋을까.

- 현정아
- 현정아, 의영 언니야. 오늘은 잘 지냈니? 힘든 건 없었고?

의영 언니가 따듯한 목소리로 나의 이름을 불러준다. 그 불러줌의 행위는 타인이 나에게 할 수 있는 가장 큰 배려이자 관심, 그리고 애정이다. 그 불러줌의 온기와 다정함으로 인해 우리는 살아갈 힘을 얻게 된다.

누군가가 그렇게 우리의 이름을 불러주는 행위는 이다지도 눈물겨운 일이다.

때론 강아지처럼 그냥 지내고 싶어

항상 강아지처럼 그냥 지낼 수는 없겠지만, 때로 삶의 고통을 이겨내기 버거울 때가 있다. 병과 불행, 그리고 지속되는 심리적 고통으로 이리저리 만신창이가 되어서 겨우 숨을 쉰다. 그땐, 어쩔 수 없다. 강아지처럼 그냥 있으면 된다. 그저 존재를 이어가는 것 자체가 목적이다. 그저 강요되는 생각을 비우고 숨을 쉬고 밥을 먹고 잘 자면 된다.

- 힘들어요.
- 그래? 얼마나? 많이?
- 아무 것도 못하겠어요. 이런 저는 쓸모없는 존재인가요?
- 아무 것도 못하겠거든, 그냥 있어. 그냥 있으면 돼. 그 시간이 지나가면 다시 일어설 수 있을 거야.
- 그러니까 그냥 숨을 쉬기만 해도요?
- 응. 너는 그 존재만으로도 귀하단다. 잠깐 어려움이 왔다고 해서 그걸 해결하지 못한다고 해서 네 존재적 존엄성이 어디에 가진 않아.
- 고마워요.
- 뭘. 자, 당분간은 힘내지 말고 그냥 축 늘어져 있으렴.
- 하하하하. 네!

그렇게 시간이 흐르고, 애써 힘을 내지 않았는데도, 일어설 수 있을 때가 온다. 생각에는 이미 어떻게 해야 할지 답이 섰다. 때로 강아지처럼 그냥 있기만 해도 된다는 것 - 많은 고통에 대한 답이다.

가끔 무목적의 시간을 견디며

자기 인생의 시작에 당장 무엇을 해야 할지 막막할 때가 있다. 특정 분야의 공부를 좀더 할 것인지, 경험을 쌓기 위해 여러 허드렛일을 해볼 것인지, 버킷리스트를 정하고 그것을 하나씩 해볼 것인지, 그러한 삶의 소소한 목적들에 마음을 줄 필요가 있다. 그 과정에서 자기 인생이 추구해야 할 한두 가지의 목적이 인식될 수 있다.

- 떠밀리듯 어른이 되었는데, 무얼 해야 할지 모르겠어요.
- 자신의 인생 목표가 그렇게 쉽게 세워질 거라고 생각하니?
- 아, 고민이 필요한 거 같아요.
- 그럼, 당연하지.
- 그 목표가 나타날 때까지의 시간을 견디겠어요. 이것저것 해나가면서요.
- 그렇게 하렴.

우리 자신만의 인생을 살아내야 한다. 그러한 생의 목표는 쉽게 나타나지 않는다. 이것저것 해보며 자신이 그것을 찾아내야 한다. 그 일을 찾아내는 과정의 시간과 아직 아무 열매도 맺지 못하는 무목적의 시간을 견뎌야 한다. 자신이 아직 아무것도 아닌 존재인 것 같아도 자신의 마음은 이미 자신만의 생의 목적을 추구해가는 중이다.

- 곧 제 인생의 목표를 세울 거예요.
- 그것이 굉장히 대단한 일이 아니어도 좋단다.
- 그렇죠? 이 절실한 시간이 지나면 저는 무언가를 향해 달려 갈 거예요.
- 좋은 자세로구나. 아무 것도 아닌 시간을 견디는 것이 중요한 이유는 뭘까?
- 자기를 발견할 시간이 필요해서죠. 자기를 발견하면 그것이 바로 자기 인생의 목표를 지시하니까요.
- 그렇단다. 아무쪼록 너의 길을 발견하기를 바라마.
- 네! 조급하거나 불안하지 않아요. 저는 저의 길을 갈 거니까요.
- 그래, 힘내거라.

어두컴컴한 내면으로 들어가는

삶의 어느 순간 자신의 존재가 스스로에게 인식될 때가 있다. 덜컥 겁이 난다. 그러고 보니 나 자신에 대한 지식이 전혀 없다. 그런 자신을 응시하고 있으면 문이 하나 나타난다. 내면으로 들어가는 문이다. 용기를 내고 문을 여니 그 안은 어두컴컴하다.

- 처음 들어가 본 저의 내면은 아무 것도 없이 어두웠어요.
- 왜냐하면 너 자신에 대한 무언가를 스스로 세운 적이 없거든.
- 성숙한 내면은 어떤 모습일까요?
- 자기가 생각한 것들, 이룬 것들이 각각 파일에 담긴 채 체계적으로 쌓여 있는 도서관 같을 거야.
- 그러면 저도 그러한 파일을 만들어야겠어요.
- 하나씩 해내거라.
- 네.

처음 자기 내면으로 들어가 보면 아무 것도 없이 어두컴컴하다. 무엇으로 자기 내면을 채워야 할지 그 막연한 어둠이 숙제를 낸다. 그 무엇은 뒤죽박죽된 데이터가 아니라 자신이 스스로 세운 자신에 대해 잘 정리된 지식에 대해서다.

- 어두컴컴하기만 한 저의 내면에 작은 등불을 켰어요.
- 오, 그 다음으로는 뭘 할 거니?
- 제가 가장 좋아하는 소설의 서평을 써서 두려고요.
- 그렇게 하나씩 너만의 것을 너의 내면에 차곡차곡 쌓으렴.
- 네! 그렇게 할 거예요. 그래서 저의 내면을 저만의 독특함과 그러한 모습으로 가득 채우려고요.
- 너의 내면이 벌써 명랑해진 것 같구나.
- 고마워요!

조용히 사색하는 순간들

혼자 있는 시간을 허투루 보내지 않는다. 책을 읽거나 생각을 노트에 쓰거나 시를 쓰거나 공부를 한다. 아직 알고 싶은 것이 많고 혼자인 시간에 그러한 것들을 해낸다. 무턱대고 아무렇게나 공부하진 않는다. 내게 요구되는 분야에서 좀더 지식이 발전될 필요 때문이다. 그리고 하루 동안의 분주함을 내려놓고 진정 혼자만의 시간을 가진다.

- 이제는 혼자만의 시간이 제게 너무 중요해졌어요.
- 나이가 드니까.
- 그런가요? 사색의 시간이 없다면 삶이 너무 방향 없이 복잡할 것만 같아요.
- 그렇지. 우리는 혼자만의 반성의 시간과 사색의 시간을 통해서 다시 내일의 방향을 잡고 앞으로 나아갈 수 있으니까.
- 그러한 자기만의 시간 속에 아직 이루지 못한 꿈들이 숨어 있어요.
- 정말 그렇단다.

스프링 노트를 가까이한다. 볼펜도 꽤 여러 자루가 필요하다. 틈틈이 아이디어를 쓰고 공부할 내용을 쓰고 집필 계획을 세우기도 한다. 생각은 기록될 때 그것의 의미를 발한다. 그러한 생각이 조직적으로 내용을 구성하면 그것은 꽤 좋은 저서를 탄생

시킬 수 있다.

- 혼자만의 시간은 무언가를 탄생시켜요.
- 그렇지? 나도 그렇게 생각한단다. 집중하는 시간이고 의미를 생성하는 시간이지.
- 사람들 사이에서 지낼 때도 있지만 혼자만의 시간은 제게 더 큰 의미가 있어요.
- 그래서 네가 균형 잡힌 삶을 사는 거란다.
- 네! 정말로 그러해요!

혼자서 사색하는 순간들은 우리의 본질을 잉태하고 그것을 어떤 형태로든지 유의미한 결과물로 만들어낸다. 사색이 혼자만의 낭만이 아닌 이유다.

아무렇지도 않게 그렇게 버티는

삶을 돌아본다. 힘겨웠다. 버티기 어려워서 주저앉은 적도 많았다. 그래도 다리에 힘을 주고 일어섰다. 주위는 어둡고 내 손을 잡아준 사람은 아무도 없다. 하지만 삶이란 때로 혼자서라도 일어서고 그렇게 묵묵히 걷는 것에 있었다. 그렇게 나는 그러한 삶에도 내 온기가 깃들어 있음을 느끼고 실패투성이인 삶을 사랑했다.

- 괜찮니?
- 무엇 때문인지는 모르겠지만 삶이 쉽지 않아요. 좌절도 반복되지만 그래도 저는 제가 정의한 삶을 살아내고 끝까지 이 삶을 완수할 거예요.
- 좋은 자세로구나. 하지만 지나치게 힘을 주지는 말거라. 뚝 하고 부러질 수도 있으니까.
- 네. 버티겠어요. 힘들어도 아무렇지도 않게요.
- 좋구나. 하지만 힘들어 보이는구나.
- 애써 제 모습을 가두지 않아서 그래요. 힘드니까 힘들어 보이는 거죠. 며칠 후엔 아마 생글거리고 있을 거예요. 힘듦과 좌절은 오래 지속되지 않거든요.
- 그래, 며칠 후엔 밝은 모습이길 바란단다.
- 그래도 어떤 삶의 모습이라도 제 삶이니까 그대로의 저를 사랑할 거예요.

- 그래, 그러렴.

아무렇지 않을 수 없다. 시도하고 실패한 뒤에는 좌절할 수밖에 없다. 하지만 살아가는 모습이 시도하고 시도하는 것이라면 자신의 시도 자체를 긍정해야 한다. 실패하는가 혹은 성공하는가는 다소간의 운에 달려 있다. 시도하는 일이 다소간의 목표에 도달했다면 그것으로 만족하고 다시 새로운 일을 시도해야 한다. 그렇게 계속 걸어가야 한다.

- 새로운 일을 시작했어요.
- 정말이니? 밝아 보이는구나.
- 하나의 실패에 좌절하지 않으려고요. 삶은 시도를 계속하는 것이니까요. 그리고 그것의 성공 기준은 저 자신이 정하는 것이고요.
- 그래, 그렇단다.
- 쉽지 않은 생이라서 다행이에요. 계속 저 자신이 성장할 수 있으니까요.
- 멋진 생각이로구나.

기지개를 켜고 그냥 미소를 짓는

삶이라는 것이 늘 힘든 건 아니다. 때로 삶은 미소를 짓는 순간들을 허락한다. 기쁨과 놀라움, 그리고 그로 인해 젖어드는 행복감은 살아있음의 환희를 선사한다. 그래서 다시 불행과 고통이 왔을 때 쉽게 일어설 수 있다. 그저 기지개를 켜고 다시 살아간다.

- 모든 불행에 대해 슬퍼할 필요는 없어요.
- 그래, 나도 그렇게 생각한단다. 삶은 행복과 불행이 번갈아 오는 거니까 불행이 올 때마다 좌절할 수는 없는 거란다.
- 그렇죠? 저는 조금 담담해지려고요.
- 나도 그렇게 지낸단다. 불행이 왔을 때 마음을 추스르고 다시 삶으로 들어간단다.
- 아무렇지도 않게 담담하게 삶의 모든 모습을 받아들이고 싶어요.
- 그래, 하지만 어떤 불행은 굉장히 크지.
- 울 거예요. 하지만 삶에 지지 않을 거예요.
- 그래, 그럴 때마다 용기를 내자꾸나.
- 네.

늘 건강하고 행복할 수만은 없다. 그래서 사람들은 늘 인사말을 할 때 건강하고, 행복하세요, 라고 말한다. 하지만 늘 그럴 수 없다는 걸 우리는 잘 안다. 불행을 받아들일 마음가짐 - 그것을 가지고 불행을 이겨낸다. 그리고 기지개를 켜고 그냥 미소를 짓는다. 불행이 다시 왔지만, 하지만 아무렇지도 않아, 그렇게 말이다.

- 삶이 호락호락하지 않을 때 저는 혼자만의 시간을 갖고 눈을 감아요.
- 그렇게 하면 괜찮아지니?
- 네. 자기만의 불행 극복 방식을 마련하면 좋을 거 같아요.
- 오, 그런 것도 있구나.
- 네. 그리고 보통 하루 이틀이면 저는 다시 명랑해져요.
- 좋은 회복 속도로구나.
- 네.

새벽 시간의 그 고요를 문득

일찍 잠들었던 탓에 새벽에 잠에서 깼다. 생각이 복잡한 요즘 일부러 일찍 잠자리에 들었다. 아니면 밤을 지새워서 고민해야 할지도 모른다. 불을 켜고 잠시 정신이 들도록 가만히 있는다. 어젯밤 고민하던 일들이 다시 의식 속으로 스며든다. 새벽은 깊은 고요다. 고민이 잠시 떠올랐다가 사라진다. 새벽은 고요하고 생각은 다시 잠든다.

- 가끔 새벽에 깰 때가 있어요. 그러다가 다시 잠들지만요.
- 새벽이라는 시간은 피곤하고, 온전히 자기의 것이고, 그리고 잠잠함이야.
- 그렇죠. 어떤 날은 밤을 지새우면서 아침을 기다린 적이 있어요. 아주 깊고 무거운 어둠 속에서 차츰 여명이 천천히 그 모습을 나타내면서 아침이 되죠. 아침을 알리는 새소리는 다시 시작해야 할 시간을 알리죠.
- 그렇단다. 새벽은 깊은 어둠이고 굉장히 조용한 시간이지. 아주 아주 깊은 어둠의 시간이야. 그리고 천천히 아침이 된단다.
- 새벽 시간의 그러한 고요를 사랑해요. 늘 그렇지는 않지만 그 깊은 어둠과 고요가 너무 좋아요.
- 새벽 시간을 사랑하는 너를 보니 사색을 사랑하는 아이로구나.

- 그런가요?
- 그렇지.

뒤척이다가 잠에서 깨면 새벽이다. 어젯밤 잠들기 전의 생각이 이 시간에 다시 스며든다. 자리에서 일어나 물 한 잔을 마신다. 거실은 어둡고 발코니 너머도 깊은 어둠이다. 공간이 무겁다. 생각이 다시 흐른다. 노트를 꺼내 볼펜으로 생각을 메모한다. 어제 고민하던 부분의 답이다.

사랑하는 사람들을 곁에 두는 것

혼자서 사는 인생이 아니다. 마음이 맞고 서로를 아끼며 서로의 길에 대해 응원해주는 사람들을 곁에 둔다. 그렇게 시간이 지나면 그들은 우리가 사랑하는 벗이 된다. 그들은 우리의 습관과 행동, 생각을 잘 알고 그래서 우리에 대해 쉽게 실망하지 않는다. 사랑하는 사람들을 곁에 둔다는 것 - 그것은 생의 가장 큰 목표이기도 하다.

- 늘 곁에 있는 친구가 있어요. 그 친구의 존재는 소중해요.
- 그렇구나. 힘들 땐 그 친구에게 이것저것 이야기할 수도 있고 말이지.
- 네. 그 친구와는 사소한 것부터 중요한 것들에 대해 모두 이야기할 수 있어요.
- 삶은 내적으로 성장하기 위해 고독도 필요하지만, 따뜻한 말을 나누고 그 속에서 온기를 나누는 일도 필요하지. 그래서 우리를 소중히 여기는 타인들이 삶에는 꼭 필요하단다.
- 그런 것 같아요. 하지만 어떤 관계는 노력을 해도 멈추어야 할 때가 있어요. 오해 때문인 것 같아서 그럴 때면 속상해요.
- 사람들과의 관계가 누구 때문인지는 몰라도 지속할 수 없을 때가 있단다. 그럴 경우에는 어쩔 수 없이 그 관계를 끝내야 한단다.
- 서운해요.

- 어떡하겠니? 우리는 관계 면에서 모두 한계를 가지고 있는 걸? 그래서 우리를 이해하고 끝까지 함께할 수 있는 사람이 더욱 소중해지는 거고.
- 네.

삶에서 우리에게 소중한 사람들은 끝까지 우리 곁에 남는다. 그러한 벗을 둔 우리 삶은 가난하지 않다. 우리가 힘들 때마다 그들은 이야기를 들어주고 해줄 수 있는 것들을 해준다. 그리고 우리도 그들이 힘들 때마다 이야기를 들어주고 그들이 필요로 하는 것들을 해줄 수 있다.

하지만 혼자만의 영역에 그들이 들어올 수 있는 건 아니다. 그러한 한계 속에서 우리는 사랑하는 사람들을 곁에 두고 삶을 보다 풍성하게 꾸려갈 수 있다.

그리움의 조각들은 다시 꽃이 되어

삶의 어느 순간 우리에게 다가온 뜨거운 사랑이 있다. 너무 뜨거워서 데이면서도 그것을 유일한 사랑이라고 믿고 그렇게 허락된 짧은 시간 동안 사랑했다. 시간이 지나고 모든 것이 흐지부지되었어도 고개를 숙이고 마음 안을 들여다보면 여전히 남아있는 뜨거움의 흔적들은 그리움이 되었다.

- 첫사랑은 그런 것 같아요. 애틋하고 안타깝고.
- 나에게도 첫사랑이 그러했지. 너무 오래전의 일이지만 그것은 여전히 내 안에 존재하고, 소중한 기억으로 간직되었어.
- 그렇게 끝나버린 사랑에 대해 그 사람을 미워한 적은 없나요?
- 첫사랑이 그렇게 끝나버린 것에 대해 그 누구도 책임을 물어서는 안 되는 거란다. 그렇게 끝나버린 후 우리는 이를 악물고 우리의 삶을 시작하게 되는 것이지.
- 이를 악물고요?
- 그렇지. 첫사랑이 끝나는 건 때로 모든 것이 끝나는 걸 의미하니까. 그래서 정말 이를 악물고 자기 인생을 살아가야 하지.
- 슬픈 일이에요.
- 그렇지?
- 네.

그리움의 조각들은 다시 꽃이 되어 우리의 마음속에서 피어난다. 그리움의 조각조각, 다시 꽃이 되어 피어난다. 더 이상 서로를 원망하지 않으며 다만 그리움만으로 꽃을 피운다. 첫사랑이나 혹은 또 다른 사랑이든 이루어질 수 없었을 때 그것이 남긴 상흔은 시간이 지나 어두움 속에서 홀로 반추하는 기억이 되었다. 그 기억은 눈물을 동반한다. 그렇게 기억이 그리움이 되어 슬픔 속에서 꽃을 피운다.

- 상처가 남을까요?
- 어떤 사랑이든 두 사람의 함께함이 끝났을 때 어느 정도의 상처가 남게 된단다.
- 아.
- 진심으로 사랑했기에 둘 다 다치는 것이지.
- 시간이 지나면 괜찮아질까요?
- 괜찮아지는 사람도 있지만 그렇지 않은 사람들도 많단다.
- 상처투성이로 남는다면요?
- 때로 우린 삶에서 스스로 힘을 내야 할 순간이 있단다. 이별을 다스려가는 것도 그러한 순간이지.
- 그리고 다시 혼자서라도 일어서고요?
- 그래, 맞단다.

혼자서라도 일어서자고 마음을 먹는다. 여전히 후들거리는 다리를 지탱하기 어렵다. 그럼에도 상처투성이지만, 일어서자고, 살아가자고, 마음을 먹어야 한다.

혼자 걸으며, 혼자 이야기하며

자기만의 세계가 있다는 건 혼자 있는 시간을 가지고 그 시간에 자기와 관련된 일을 사색할 수 있다는 것을 말한다. 그러한 혼자만의 사색 시간에 지나온 순간들을 돌아보고 앞으로 어떻게 나아가야 할지 고민한다. 우리는 자기 삶을 살아내는 과정에서 어느 정도 혼자가 될 필요가 있다. 삶에서 중요한 관계들을 갈라놓는 것이 아니다. 함께하는 시간도 필요하지만, 혼자만의 시간도 필요하다는 뜻이다.

- 혼자만의 시간을 갖기 시작했어요. 노트와 펜을 샀어요. 너무 기뻐요!
- 정말이니? 이제 드디어 어떤 것을 발견하고 무언가를 이루겠구나.
- 네! 생각을 마구마구 노트에 쓴 다음 정말 하고 싶은 것을 찾고 그것을 어떤 형태로 이루어낼 거예요!
- 우리 안에 있는 잠재력을 꺼내는 건 혼자 있을 때 자기를 응시하고 깊은 생각에 잠기면서 비롯되지.
- 그렇죠? 저는 그렇게 해서 저를 이루고 싶어요.
- 그렇게 하려무나.

혼자 걷는 건 자기 삶을 스스로 이끌어간다는 것이다. 그리고 혼자 이야기한다는 것은 실제로 혼잣말을 하는 게 아니다. 머릿

속에서 자기의 이야기를 써 내려간다는 의미다. 혼자 걸으며 혼자 이야기하며 그렇게 자기의 삶을 고찰하고 무언가를 이루어 간다.

- 무언가 달라지고 있어요. 제 삶에서 어떤 일이 일어나고 있어요.
- 그렇지? 우리가 혼자일 때 우리는 그것을 지루해하지 않고 무언가 우리의 삶을 바꾸기 위해 사색하는 시간으로 써야 한단다.
- 그렇게 하고 있어요. 무언가 나타나고 있어요. 무언가 굉장한 일이 말이에요.
- 시도하는 것 자체가 답이란다. 무언가를 시도해보렴.
- 네!
- 혼자 있는 시간을 진지하게 응시하면 자기 삶에서 무엇을 해야 할지 알 수 있을 거란다.
- 네! 꼭 무언가를 해낼 거예요!

혼자 있는 시간을 극복하려거나 지루해해서는 안 된다. 자기에게 주어진 사색 시간이고 그 시간을 어떻게 쓰는가에 따라 자신의 미래가 달라진다.

힘을 내자는 말에 담긴

녹록지 않은 세상이다. 살아가기 위해 애쓰지만, 결과가 쉽게 나오지 않는다. 자꾸 실패한다. 그럴 때는 자기 행동의 궁극적인 목표를 생각해보면 된다. 아직 과정 중에 있다는 것을 알게 된다. 실패한 방법은 내려놓고 새로운 방법을 시도한다. 조금 더 결과에 가까워진다.

- 자꾸 실패하기만 해요. 조급해져요.
- 그 일의 최종 목표는 뭐니?
- 잘 모르겠어요. 그냥 작은 일들을 시도하고 있을 뿐인데 잘 되지 않아요.
- 인생 전체의 목적이 있을 수 있고, 순간순간의 목적이 있을 수 있단다. 인생 전체의 목적은 누구에게나 어렵고 이루기 어렵지. 그것을 추구하는 과정에서 자잘한 실패를 겪지만, 그것은 실패가 아니라 성공으로 나아가기 위한 과정이고 또 포기하지 않는다면 꼭 무언가를 이루지.
- 포기하지 않는다면요?
- 그렇지. 그런 의미에서 힘을 내자꾸나.
- 네!

우리의 목표 이루기가 쉽지 않기에 우리는 서로에게 그리고 자신에게 힘을 내자고 말한다. 그 말에는 에너지와 방향성이 담겨 있다. 어떤 일에 대한 방향성과 그 일을 이룰 수 있는 에너지가 힘을 내자는 말에 들어있다.

삶은 날마다 목표 세우기와 그것을 이루는 노력의 연속이다. 그 목표는 자잘한 목표에서 인생 전체에 걸친 목표를 말한다. 때로는 실패에 지쳐서 절망에 허우적거릴 때도 있다. 그때는 그냥 그저 존재하기만 해도 된다. 우리는 곧 다시 힘을 낼 것이고 앞으로 나아갈 것이다.

나만의 존재로 피어나기 위하여

자기 삶을 살아야 한다. 자기가 정의하고 이루고 싶은 대로 그렇게 살아야 한다. 나만의 존재로 피어나야 한다. 다른 사람이 선택한 삶을 동경하지 않고 내가 이루고 싶은 대로 그러한 나만의 삶을 살아내야 한다. 그러기 위해서 자아를 탐구하고, 흥미를 탐구하고, 그리고 자기만의 진리를 신념으로 세워야 한다. 그 속에서 우리는 자기만의 존재로 매 순간 피어난다.

- 인생의 목표는 무엇일까요?
- 자기만의 존재로 서는 것이지. 그리고 사람들을 사랑하는 것이고.
- 자기만의 존재로 서는 것이란 구체적으로 무엇을 의미할까요?
- 자신을 탐구하는 시간을 가지고, 자신이 궁극적으로 원하는 일에 대해 알아낸 후, 그것을 이루기 위해 노력을 기울이는 것이지.
- 멋있어요. 그렇게 산다면요.
- 그러한 삶은 외부에서 가하는 압력이 아니라 내면의 깊은 곳에서 나오는 궁극적인 욕구란다.
- 저에게 귀를 기울이겠어요. 저만의 인생 목표를 이루기 위해서요.
- 그렇게 하렴. 용기를 내고.

- 네.

사람의 길은 스스로가 정한 길을 자기만의 삶으로 세우고 그렇게 걸어가는 것이다. 자기만의 삶을 사는 것은 자기만의 존재로 피어나는 일이다. 그 과정은 험난하다. 걸어가다가 힘들면 쉬어도 된다. 그리고 다시 다리에 힘이 차오르면 다시 걸어가면 된다. 너무 돌진하지 않도록 해야 한다. 걷고 쉬고, 다시 걷고 쉬고를 반복해야 한다.

그리고 어느 지점에서 목표가 눈앞에 나타날 것이다. 그러면 그쪽으로 가까이 다가가면 된다.

사랑은 낯설고 행복한 감정을 배우는

어느 날 사랑이 다가왔다. 기분 좋은 속삭임과 다정한 손길, 그윽한 눈빛이 우리를 사로잡는다. 그것의 실체를 사랑이라 믿으며 그에게 혹은 그녀에게 마음을 준다. 사랑 이전에는 알 수 없었던 낯선 느낌과 행복한 감정이다. 그리고 이것저것 다양한 감정을 느끼게 된다. 사랑의 의미는 혼자서는 알 수 없는 다양한 감정을 배우고 그로 인해 삶을 바라보는 시야가 넓어지는 것이다. 그리고 사랑이 가르쳐준 많은 감정은 사랑이 끝난 뒤에도 남아있어서 때로 아프지만 우리는 그로 인해 자기 삶을 더 많이 이해하게 된다.

- 뜨거움에 사로잡힌 적이 있어요. 사랑이라는 이름에 대해서요.
- 그 뜨거움에 자신을 던지지 않고서는 사랑을 배울 수 없지.
- 그래서 데여서 다쳐서 혼자서 많이 울었어요.
- 사랑이라는 상황은 우리를 행복하게도 하지만 힘들게도 만들지. 하지만 어떤 쪽이든지 우리는 사랑을 해봐야 자기 삶을 시작하게 된단다.
- 왜요?
- 울면서 자신에 대해서 눈을 뜨게 되거든. 자기 삶이란 게 있다는 것을 알고 더는 울지 않고 자기 삶을 살기 위해 앞으로 나아가게 되거든.

- 아. 맞아요.
- 이 사랑이란 감정은 그것이 끝났을 때도 여전히 마음속에 간직되어 있단다. 그래서 많은 사람들이 그 고통에 몸부림을 치면서 그 사랑이 남긴 상흔을 극복해가며 자기 삶을 살아가기 시작하지.
- 사랑 후, 자신의 삶을 살아가기 시작하는 거로군요.
- 그렇지.
- 삶에 대해 보다 예리해지는 것이고 그래서 자기 삶을 온전히 살아가기 위해 더 노력하게 되는 것 같아요.
- 그래, 그렇단다.

사랑이라는 낯선 감정은 곧 행복감으로 바뀌어 우리에게 온다. 하지만 그 사랑이 끝나버렸을 때 우리는 무너져내린다. 어디부터 잘못된 것인지 찾아보아도 알 수 없다. 사랑이라는 실루엣이 우리의 마음에 여전히 그늘을 드리우고 있어서이다. 애써 떨치려고 하지 말고 그러한 감정과 기억은 뒤에 두고 우리가 해야 할 삶의 과제를 찾아서 여정을 시작할 때다.

걱정과 두려움, 불안에 맞서

자기 삶을 시작한다고 해서 무언가를 당장 해낼 수 있는 건 아니다. 노력하고 방향을 잡고 계속해서 자기만의 무언가를 만들어내야 한다. 그 과정에서 꽤 오랜 시간이 걸릴 수 있고 걱정과 두려움, 불안이 마음에 차오른다. 당장 해결해야 할 경제적 문제를 어떻게 해결해야 할 것인지 방법을 모색해야 하고 장기적으로 자기 삶에 관한 노력도 계속 해야 한다.

굉장히 사소한 자리라도 자기의 당면한 경제적 문제를 해결하기 위해 선택해야 한다. 그 일을 선택하고 남는 시간의 일부분을 자기의 목표를 위해 써야 한다. 이 두 가지의 균형은 시간이 지났을 때, 자기가 그동안 노력해 온 자기 삶을 이루는 것으로 나타난다.

- 제 삶을 살고 싶은데, 아르바이트를 해야 해요. 어떻게 해야 할까요?
- 네가 하고 싶은 것은 아마 시간이 꽤 걸릴 일일 거란다. 당장 눈앞에 지출해야 할 일들이 있지? 어쩔 수 없지만, 네 꿈을 추구해가면서 아르바이트도 해야 하지.
- 당장 제 꿈이 결과를 내지 않겠지요?
- 그렇지. 청춘의 꿈은 원대하고 그것을 이루기 위해서는 시간이 걸리지. 그 과정에서 경제적인 상황을 아르바이트로 해결

해가면서 꿈을 꾸거라.
- 네. 그렇게 할게요.
- 그나저나 너의 꿈은 무엇이니?
- 저술가가 되는 거예요.
- 그렇다면 더 공부하고, 더 쓰고, 더 노력하렴. 그리고 아르바이트도 해가면서.
- 네!

거의 모든 사람들이 경제적 문제에 봉착해 있다. 충분한 돈이 없어서 걱정하고 두려워하고 불안해한다. 하지만 꿈의 부재에 대해서는 고민하지 않는다. 자기만의 꿈이 자기에게 경제적 보상을 해줄 수 있다. 다만, 그것이 충분히 무르익었을 때 가능하다.

자기만의 꿈을 가진 사람은 매일 그것을 해나가기 때문에 불안이나 두려움에 사로잡히지 않는다. 그는 자기의 꿈을 믿는다. 그것이 반드시 어느 날에는 그에게 성공을 안겨줄 것을 말이다. 꿈을 갖고 묵묵히 걷는 것이 우리를 걱정과 두려움, 불안에서 해방할 것이다.

삶이 던지는 화두들에 대해

삶을 살아가면서 이것저것 고민을 한다. 어떤 일을 해내는 과정에서 많은 고민과 선택, 그리고 노력이 들어간다. 그러면서 어떤 가치를 실현해야 할지 고민한다. 삶은 우리에게 우리가 선택한 삶의 여러 모습들에 대해 화두를 던진다. 어떤 삶을 현실적으로 살아갈지에 대해서 화두를 던지는 것이다. 우리는 그에 대해 삶의 과정 속에서 답을 해야 한다.

- 늘 삶이 던지는 화두들에 대해 고민하고 그에 답해야 할 것 같아요.
- 그렇지. 삶은 우리에게 중요한 과제를 묻는단다. 그에 대해 우리는 최선을 다해 답하고 또 그것을 실현해야 한단다.
- 그래야 삶을 진지하고 진실하게 살 수 있을 것 같아요.
- 그렇단다. 삶이 우리에게 던지는 화두들은 우리 삶을 구성하는 핵심이자 중요한 질문들이지.
- 그러한 화두들은 제가 어떻게 삶을 살아가야 할지 알려주는 것 같아요. 마치 스스로에게 질문하는 것과 같아요.
- 중요한 질문은 서로 연결되어 있으니까.
- 네. 그런 것 같아요.

어떻게 삶을 살아낼 것인가에 대해 매 순간 질문하는 일은 자신을 이루어가는 일이다. 그것은 내 삶을 구성하는 화두에 관한 것이며 자기를 온전히 실현하는 일이다. 자기 삶을 살아가면서 스스로에게 질문을 던지며 새로운 일을 해내는 일이다.

- 궁극적으로 삶이 제게 던지는 화두는 제 삶의 매 순간에 중요한 질문을 스스로에게 던지는 것 같아요.
- 그렇지. 결국 우리는 자기 시선을 통과시킨 화두만을 실행할 수 있으니까.
- 결국 모든 건 우리가 자기 삶을 매 순간 살아가는 것이로군요.
- 그럼.

청춘의 다채로운 경험이 주는 힘

청춘의 시기에는 이것저것 경험을 많이 해보아야 한다. 사랑에 온 감정을 쏟고 이별에 눈물을 흘리고 공부에도 푹 빠져보고 이것저것 사회의 일에 대해서도 아르바이트라는 형식을 통해 겪어보아야 한다. 그러한 청춘의 다채로운 경험은 조금 더 나이가 들었을 때 세상을 살아갈 힘이자 시선이 된다.

- 어제 식당 아르바이트를 등록했어요. 간단한 서빙 일인데도 조금 두려워요.
- 처음 해보는 일이지?
- 네.
- 지금 하는 그러한 일이 언제고 너에게 삶을 이해하고 살아가는 데 힘이 될 거란다.
- 그래요?
- 그렇지. 그러니 그저 부딪혀서 삶의 내용을 경험으로 얻어내거라.
- 네. 그렇게 할게요.

사회생활은 만만치 않다. 그것을 아르바이트를 통해서 경험하고 그래서 자기 삶을 어떻게 구성하는 것이 옳을지 결정할 힘이 청춘의 시도에서 비롯된다. 이것저것 아르바이트를 해보고 자신이 어디에 맞는 사람인지 이해하는 것이 필요하다.

- 저 이틀 만에 일을 그만뒀어요.
- 그럴 수도 있지.
- 모욕의 말을 들었거든요.
- 그럴 때는 바로 그만두어야지.
- 사회는 원래 이런가요? 뭐든지 완벽해야 하나요?
- 그러한 경험을 토대로 네가 무엇을 해야 할지 깨닫는 것이 필요하단다.
- 그렇다면, 알겠어요. 조금 더 냉정해지려고요.
- 어떻게 냉정해지려고 하니?
- 제가 모든 걸 잘할 수 있다는 오만을 내려놓고 제가 진짜 잘 할 수 있는 일을 탐구해서 그 일을 해내려는 걸 말해요.
- 좋은 결정이로구나.

있는 그대로의 나와 성장하는 나 사이에서

자아의 존재는 그것이 인식된 순간 자라기 시작한다. 그것은 한계를 지닌다기보다는 자기 성장과 더불어 자란다. 우리는 계속해서 자라는 것에 마음을 열어놓을 필요가 있지만, 때론 있는 그대로의 자기를 사랑할 줄도 알아야 한다. 왜냐하면 우리는 쉬지 않고 계속 성장할 수는 없기 때문이다. 어느 순간 쉬어가는 자리에서 있는 그대로의 자기를 인정하고 긍정하는 것이 필요한 이유다.

- 매 순간 앞으로 나아가는 삶이 되어야 하겠지요? 그러면 너무 지칠 것 같아요.
- 앞으로 나아가는 것이 필요하지만 어떤 경우에는 가만히 있는 것도 필요하단다. 지금의 나를 인정하고 그 자리에서 쉬어가는 것이 필요하지. 그리고 충분히 쉰 후에 다시 나아갈 새로운 힘이 생길 거란다.
- 힘들면 쉬어도 되는 거죠?
- 그렇지. 쉼은 우리의 노력을 재정비하는 시간과도 같단다.
- 와, 그러면 저는 오늘 카페에 가서 커피를 마시며 간단한 글을 쓸래요.
- 좋구나.

쉼 없는 노력은 번아웃을 초래한다. 때로는 불완전한 모습에 머

물러 있다 하더라도 그것을 불평하지 말아야 한다. 오늘은 쉬어 가자고 마음을 먹는다. 그리고 시간이 조금 지나면 무엇을 해야 할지, 어떤 방향으로 나아가야 할지, 어떤 노력을 기울여야 할지에 대해 다시 시선이 싹트고 앞으로 나아갈 힘을 얻을 수 있다.

- 며칠 쉬었어요. 불완전한 자아라 해도 긍정했어요. 있는 그대로의 나를 긍정했어요. 그러니 무얼 해야 할지 방향이 서고 힘이 다시 솟아났어요.
- 우리는 성장하지만, 그 과정에서 틈틈이 쉬어주어야 한단다. 잘했어.
- 훗, 삶에는 그러한 리듬이 있는 것 같아요. 올라갈 때와 쉬어 가야 할 때가 번갈아 오는 것 같아요.
- 잘하고 있단다.

청혼에 대처하는 방법

청춘이 시작될 무렵, 젊은이들은 열정적인 사랑에 빠져든다. 그리고 첫사랑과 결혼을 꿈꾼다. 청혼을 받았지만, 이미 식어버린 사랑에 눈물을 훔친다. 청혼은 받았지만, 그는 떠났다. 누구하고도 결혼하지 않겠다고 생각하고 공부에 몰두한다.

- 글쎄, 로버트가 청혼했어요.
- 로버트가?
- 네. 그래서 잠시 생각하고는 학교를 졸업하고 다시 청혼해달라고 했어요.
- 그러니까 뭐라던?
- 자기 진심을 받아주지 않는 거냐며 화를 내던데요?
- 청혼한 사람이 그런 태도를 보이면 거절하는 게 옳단다.
- 그렇죠?
- 때로 젊은 여자들이 젊은 남자들의 호기에 찬 청혼을 받을 때가 있지. 하지만 그 청혼이 결혼에 이르는 시간 동안 유효할지 그것이 문제지.
- 저는 청혼을 받는 것보다는 공부를 더 해야겠어요.
- 그러렴.

청혼은 여자의 일생에서 큰 사건이다. 하지만 십대 후반이나 이십대 초반에 이루어지는 젊은 시절의 청혼은 유효하기 어렵다.

사랑을 간직해나가다가 자기가 결혼에 대해 힘을 갖추었을 때 하는 청혼이 보다 유효하다. 청춘의 열기 아래의 청혼이 둘 다의 가슴에 상흔을 남기는 것은 결혼이 이루어질 힘을 갖지 못해서다.

- 결혼은 한참 후에 이루어질 것 같아요.
- 그동안 너는 무얼 할 거니?
- 힘을 갖출 거예요. 경제적 힘이든, 존재적 확신이든.
- 그런 힘이 있어야 결혼해도 생활을 꾸려나갈 수 있겠지?
- 네. 로버트는 잊을래요.
- 그렇게 하도록 하거라.

이젠 괜찮아

삶이 아픔이 있는 시간이라는 걸 깨닫는 데는 어른의 나이가 되고 나서 얼마 지나지 않아서였다. 그 시간을 견뎌내기가 힘들었다. 시간이 지난 후, 많은 사람들도 그렇게 삶의 아픔을 겪어낸다는 것을 알게 되었다. 또다시 아픔이 올 것이다. 하지만 조금은 담담하게 그 시간들을 겪어낼 수 있기를.

- 심장께가 욱신거려요. 친구가 그렇게 떠날 줄은 몰랐어요.
- 소식 들었다. 괜찮니?
- 며칠 심하게 울었더니 정신이 빠져나간 것처럼 멍해요.
- 그렇게 잃어가면서 아파하면서 어른이 되는 거란다.
- 어른들은 이 모든 걸 겪고도 담담하게 살아온 거겠지요?
- 그렇단다.
- 지금은 탈진했어요. 그래서 더 눈물도 나지 않고요.
- 한숨 자면 훨씬 나아질 거다.
- 네.

잃었지만 시간이 갈수록 추억은 더욱 진해진다. 마음에 두어야 할 사람은 마음에 그대로 두어야 한다. 그것을 꺼내어 곱씹으며 다시 아파하는 건 몸과 마음에 해롭다. 이젠 괜찮아진 기억을 가끔 꺼내어 잠시만 생각할 뿐이다.

바다의 마음

사랑으로 인해 깊어진 마음은 점점 더 깊고 푸르게 된다. 사랑은 이미 떠났지만, 마음은 갈수록 깊어진다. 그 마음에 자기의 삶을 담고 다른 사람의 눈물도 담는다. 깊은 바다가 되어버린 마음이다. 때로는 일렁이지만 거의 잠잠하다. 왜냐하면 그 물결이 깊음 가운데 있기 때문이다.

- 사람의 마음은 나이가 들수록 깊어지는 것 같아요.
- 그런 생각을 했니?
- 네. 저의 내면을 들여다보아도 마음이 푸르고 깊어지는 것 같거든요.
- 사랑 후에 그러한 변화가 시작되지.
- 어리고 서툰 사랑이었어요. 하지만 그를 사랑하는 마음이 헤어진 후에 더 깊어질지 몰랐어요. 가끔 눈물짓기도 해요.
- 사랑이 남긴 흔적이 우리를 깊은 바다와도 같은 마음으로 이끈단다. 세월이 갈수록 더 깊고 푸르른 바다 말이다.
- 사랑이 끝나도 그것이 가르쳐준 무언가는 바다가 되는 거 같아요.
- 하지만 너무 우울해하지는 말거라.
- 네.

깊은 사랑이었다. 헤어질 수밖에 없었고 그래서 헤어졌다. 그의 부재는 마음을 마구 할퀴다가 점점 물결로 차올랐다. 지금은 깊은 바다가 되어버린 마음이다. 그 마음이 점점 넓어지고 깊어져서 작은 추억 하나쯤은 눈살찌푸리지 않고 그냥 이해할 수 있게 되었다. 깊어진 마음으로 보다 많은 걸 품을 수 있게 되었다.

소중한 건 언제고 사라지고

기억은 나쁜 것에만 집요한 건 아니다. 기억은 매우 짧은 순간이라도 그것이 우리의 삶에 의미가 있는 것이라면 오래도록 기억한다. 그 찰나의 기억은 우리가 오늘 힘들 때 우리를 지탱해주는 힘이다. 한때 소중했던 사람과의 기억이고 그리고 어느 순간 잃어버린 기억이다.

- 우리는 살아가면서 이별을 겪어나가는 것 같아요.
- 그렇지? 나이가 들면서 수많은 이별을 감당해나가야 하지.
- 잃을 수밖에 없다면 그 사람과의 기억을 따듯하게 기억하고 싶어요.
- 그래. 우리에게 소중한 사람에 대해 그 기억을 간직하자꾸나.
- 그러한 기억으로 살아갈 수 있는 것 같아요.
- 소중한 건 언제고 사라진단다. 그 아픔을 간직하고 그 사람과의 순간을 간직하는 건 우리의 삶을 의미로 채우는 일이란다.
- 네. 그러한 사라짐을 안타깝게 생각하지 말고 마음속에 그 사람을 두고 싶어요.
- 너만의 추억 자리로구나.
- 네. 그런 것 같아요.

우리가 살아가는 세상은 상실을 내포하고 있다. 철들기 전에 그러한 상실을 겪기도 한다. 어른이 되어서는 더 많은 상실을 겪고 그래서 어느 순간 담담해진다. 애도가 표준이 되었지만 사실 상실을 만날 때마다 굉장히 슬프다. 다시 살아가야 하는 현실적 상황 때문에 우리는 애도를 완전히 해내지 못하고 삶의 현장에 다시 투입된다.

그렇게 완전히 보내지 못한 애도는 마음에 흠을 남긴다. 그렇다고 담담하지도 말고, 때로 기억이 사무칠 때, 떠올리고, 함께 했던 시간을 기억해내는 것이 필요하다.

삶은 상실과 애도, 추억 속에서 우리의 작음을 말해주는 것 같다.

어지러운 세상 속에서

어느샌가 우리가 살아가는 사회는 복잡하고 어지럽고 다양한 가치를 추구하는 모습으로 바뀌었다. 갈등 속에서 어떤 가치를 세우고 살아가야 할지 모호하다. 늘 새로운 가치가 등장하고 우리가 무엇을 근거로 하여 살아갈 모습을 세울지 그것을 결정하기가 어렵다. 어지럽다. 하지만 이 속에서 우리는 자신의 가치를 세우고 살아가야 한다.

- 현대 다원주의 사회에서 우리가 살아가고 있어서 무슨 가치를 추구하고 살아야 할지 모르겠어요.
- 다수의 가치에 반하지 않는 선에서 네가 추구해야 할 가치를 스스로 정하거라. 그 가치에 맞는 삶을 구성하고 그렇게 살아가면 된단다.
- 그런가요? 다수의 가치라면 민주주의에 대한 존중, 합법적인 경제생활의 추구, 인격의 완성을 위한 노력, 자기 삶을 유기하지 않는 것, 약자에 대한 배려 같은 것들이 있는 것 같아요.
- 그렇지. 그러한 가치를 지키며 너만의 가치를 세우거라.
- 저는 어지러운 세상 속에서도 제 방향이 지시하는 대로 그렇게 걷고 싶어요.
- 그러면 된단다.

무엇을 추구하고 살아가야 할지 모호할 때 다수의 가치를 존중하고 자기만의 삶의 모습을 탐구할 필요가 있다. 그것은 개인만의 정답을 낸다. 그러한 개인들의 자기 삶에 대한 노력이 사회를 이끌어간다. 어지러운 세상이 아닌, 발전하는 모습의 사회를 향해 가는 것이다.

다시 사랑하며 살아가며

이별을 맞이한 후 우리는 마음을 닫았다. 다시는 사랑하지 않을 거라 맹세하고 얼어버린 마음으로 하루하루를 살아가고 있다. 하지만 사랑은 다시 오고 얼어붙었던 마음에는 다시 온기가 돈다. 다시 사랑하며 그리고 다시 살아간다. 그렇게 삶이 다시 피어난다.

- 이별을 겪어본 적이 있으세요?
- 그럼, 당연하지. 젊을 땐 사랑 자체가 실수투성이이고 연인과 싸우기도 많이 하지. 그리고 사랑이 이루어질 날이 너무 멀었기에 이별을 선택했단다.
- 슬프셨어요?
- 그때는 슬펐지. 지금은 이별이 삶의 과정이라고 생각한단다.
- 지금은 괜찮으세요?
- 괜찮지. 사랑은 이루어지기도 하고 아니기도 한단다. 하지만 두 경우 모두 삶에 의미를 준단다. 헤어진 사람은 그 사람대로 삶에 어떤 의미를 주고, 결혼한 사람은 그 사람대로 삶에 의미를 준단다.
- 사랑이 인생의 가장 큰 의미인가요?
- 사람마다 다르겠지. 나로서는 인생의 가장 큰 의미가 자기 자신에 대한 응시와 자기 시도로부터 발견하게 되는 무엇에 대해서란다.

- 저는 자신을 먼저 사랑할래요. 아직 사랑에 대해서는 그것이 무엇이고 어떤 것인지 알기 어렵거든요.
- 그래, 자신을 먼저 사랑하고 자신의 길을 먼저 찾거라. 그 후에 사랑이 올 수도 있겠지.
- 네.

사랑은 다시 온다. 하지만 사랑보다 더 중요한 건 자기 자신을 먼저 사랑하는 일이다. 그러한 모습 속에서 우리는 다시 사랑하고 살아가게 된다.

자기 삶을 살아내는 것이란

삶의 어느 시기가 되면 자신과 자신의 꿈에 대해 인식하게 된다. 처음에는 모호한 생각 덩어리이지만 차츰 그것은 구체적인 지식이 된다. 자신과 자신의 꿈에 대해서는 자기 삶을 살아가는 것으로 그 구체적인 모습이 나타난다. 자기만의 삶이고 꿈이고 소망이다. 그것이 어떤 내용이든지 우리는 그 일을 완수하고자 한다.

- 저는 저만의 삶에 대해 생각하기 시작했어요.
- 그러니? 생의 굉장히 중요한 과정에 진입했구나. 그러한 고민이 너를 온전히 너만의 존재로 만들 거란다.
- 처음에는 모호하고 그랬는데 지금은 제 삶의 모든 모습을 저만의 삶으로 나타내기로 했어요. 그러니까 제 모든 삶이 저만의 삶인 것이죠.
- 그렇게 살아내기로 한 거니?
- 네. 매 순간 자신과 자신의 삶을 인식하는 건 어렵긴 하지만 그러한 노력을 통해서 결국 제 삶이 완성되는 것 같아요.
- 그러한 완성은 생의 과정에서 여러 번이란다. 완성을 겪으며 네 삶이 이전보다 온전해지는 것이지.
- 네! 제 삶을 늘 온전히 완성하겠어요.

우리의 삶은 매 순간 완성되기이고 그러한 삶의 모습은 생애에

걸쳐 여러 번의 완성을 가져온다. 하나의 완성은 다음 과제를 제시한다. 삶은 지속적인 목표 이루기의 과정으로 이루어져 있지만 때로 목표를 망각하고 그냥 존재하고 있을 필요도 있다. 그러한 시간은 쉼이고 새로운 과제를 잉태하는 시간이다. 그냥 존재하는 것을 낭비라고 생각해서는 안 된다.

- 너무 힘들어요. 늘 저 자신과 목표에 대해 의식하고 있는 삶은 말이에요.
- 그렇구나. 지칠 땐 모든 것을 내려놓고 쉬렴. 그 시간은 낭비되는 시간이 아니라 다음 활동을 품는 시간이란다. 조용히 카페에서 커피를 마시며 잡문을 써도 좋고.
- 정말 시간을 그렇게 흘려보내도 될까요?
- 늘 그렇다면 문제가 있겠지만 넌 목표가 있잖니. 그러므로 너의 쉼은 목표를 품는 시간이란다.
- 네! 지금은 조금 쉬도록 할게요!

자신의 삶을 살아내는 것이란 늘 긴장에 차 있는 시간이 아니다. 목표를 세우고 과제를 해내지만 그러한 노력이 벅찰 때 잠시 쉬어가는 것도 필요하다. 그렇게 쉼과 과제 해내기의 균형 속에서 자기 삶이 온전히 세워진다.

돈의 무게에 대하여

현대의 대부분의 문제는 돈의 부족에서 비롯되는 경우가 많다. 돈이 많으면 할 수 있는 선택지가 늘어나고 돈이 부족하면 하고 싶은 것을 할 수 없다. 돈은 어떤 노력의 결과 우리에게 주어진다. 그 노력은 성취에 따라 매겨지며 자본주의 사회에서는 그 성취의 정도에 따라 돈의 무게를 다르게 매긴다. 보다 부가가치가 높은 성취는 보다 많은 돈을 보상으로 받는다.

- 돈은 어느 정도 버는 게 좋을까요?
- 자신이 하고자 하는 바를 할 수 있을 정도가 가장 적당하겠지. 너무 많은 돈을 버는 일은 그만큼 스트레스의 정도가 세단다.
- 그렇죠? 저는 제가 일한 만큼 보상을 받는 게 좋아요. 너무 많은 돈은 관리하기가 어려울 것 같아요. 동시에 너무 적은 돈은 무언가를 하기에 부족하고요.
- 돈의 문제는 적당한 정도가 중요하단다. 뉴스를 보면 굉장히 많은 돈의 범위가 주로 나타나지만 사실 그런 돈의 단위는 현실적으로 살아가는 모두에게 그림의 떡이지. 우리는 자기의 삶의 범위를 생각해야 하고 그것에 맞는 정도의 돈을 버는 것을 목표로 생활해야 한단다.
- 맞아요. 저는 제 생활의 범위가 맞는 정도의 돈을 벌 수 있도록 노력할 거예요. 부자가 되는 것이 목표가 아니라 똘똘

한 자기만의 경제인이 되고 싶어요.
- 좋은 생각이로구나.

돈은 욕심을 가지고 있다. 벌수록 더 벌도록 유혹한다. 사실, 한 생애를 살아가는데 필요한 돈은 그다지 많지 않다. 남들처럼 사는 것이 아니고 나만의 삶을 경제적으로 구성해야 한다. 내 삶에 맞는 돈의 무게를 찾아낼 필요가 있다. 그러한 자기 삶을 유지해나갈 수 있을 정도의 돈에 대해 그것을 어떻게 벌 수 있을지 고민할 필요가 있을 뿐이다.

견뎌가며 버텨가며 그렇게 살아가며

이것저것 무얼 해보아도 쉽지 않다. 결과를 내기가 쉽지 않다. 자꾸 실패 속에서 좌절을 맛본다. 아무 것도 못할 것 같아서 자책 속에 빠진다. 도무지 할 수 있는 게 없다며 고통의 한가운데를 지난다. 내가 할 수 있는 일이란 과연 뭘까 하며 고민한다. 나는 쓸모없는 존재일까.

- 처음에 제 꿈을 발견했을 때 정말 행복했어요. 그리고 그 꿈을 실현하기 위해 노력하던 순간들도 다 행복했어요. 하지만 꿈이 그렇게 쉽게 이루어지지 않는다는 것, 모든 노력에도 꿈은 더욱 멀어져가는 것 같아요. 꿈을 포기해야 할까요?
- 꿈이 너무 크지는 않은지, 현실과 동떨어진 건 아닌지 조금 들여다보아야 한단다. 꿈을 꾸되 그것을 현실적으로 조정하는 것이 필요하지. 네 꿈이 잘못된 건 아니란다.
- 예를 들면, 번역가를 꿈꾸었다면, 동네 학원에서 영어를 가르치는 것도 꿈을 이루는 과정인가요?
- 그것도 꿈이 이루어지는 하나의 모습이란다. 계속해서 번역가를 꿈꾸되 현실적으로 경제적 결과를 내는 것도 필요하지. 꿈이 꽤 어렵고 멀리 있기에 우리는 꿈과 관련해 타협할 필요가 있단다.
- 네! 알겠어요!

꿈을 이루기까지 우리는 현실적으로 자신의 삶을 견뎌내고 버텨가야 한다. 꿈을 이루는 일은 오랜 시간을 필요로 한다. 그 과정에서 우리는 이렇게 저렇게 견디고 버텨야 한다. 그리고 포기하지 않는다면 우리는 우리의 꿈을 이루게 될 것이다. 그 과정에서의 고생은 모두 잊힐 만큼 크게 미소를 짓게 될 것이다.

매 순간 자신의 삶을 걸어나가며

인생은 자기와 함께 걷는 삶이다. 자기 자신과 먼저 친해질 필요가 있다. 그러한 자신이 만들어갈 나만의 삶이 바로 자신의 삶이다. 즉, 자신이 제시하는 과제를 이루어나가는 삶이 자기의 삶이다. 그러한 과제가 어떤 경우에는 벅찰 때가 있다. 그때는 잠시 멈춰서서 심호흡을 해야 한다. 그러다가 다시 치고 나갈 힘이 생겼을 때 다시 걸어가면 된다.

- 혼자 있을 때 진정 제가 제 삶을 살아가는 것 같아요.
- 그렇니?
- 네.
- 누구나 자신의 삶을 꾸려갈 의무가 있단다. 하지만 그건 쉽게 보이지만 매우 어려운 길이지.
- 어렵다면 어떤 점이 어려운가요?
- 일단 과제를 내는 사람이 자기 자신이란다. 그리고 그 과제는 불분명할 때가 많아서 그것을 구체화해 나가는 과정이 만만치 않지.
- 음. 그렇군요. 자신이 내는 과제를 해나가는 것이 자기 삶을 살아내는 일이지요?
- 그렇지. 그렇게 자신의 삶을 구성해나가는 거란다.
- 자기 의미로 가득 찬 삶인 것 같아요.
- 그래, 맞단다.

삶은 자기 인식에서 시작하여 자기 과제 제시에 이르기까지 성장한다. 무언가를 이루고자 애쓰는 시간이 있다. 자기 과제를 이루어가며 자신의 삶을 온전히 살아낸다.

살아가는 순간순간

삶이 조각난 것처럼 느껴질 때가 있다. 여러 개로 흩어진 채 다시 하나로 모을 수 없는 기억. 애써 자기 존재의 중심을 잡으려고 한다. 겨우 자기 존재를 모은다. 매 순간 자기에의 응시를 통해 삶의 조각을 잇는다. 삶은 그렇게 슬픔으로 인해 흩어진 기억과 삶의 조각들을 다시 모으고 잇는다.

- 자기 응시란 무엇인가요?
- 매 순간 자신에 대해 집중해서 보고 그러한 행위를 통해서 자기 삶을 자세히 관찰하는 걸 말한단다. 자기 응시를 통해서만이 자기 할 일을 볼 수 있단다.
- 자기 응시를 통해서 자기가 할 일을 알 수 있다고요?
- 그렇단다. 우리는 우리가 가진 시선으로 무언가를 할지 생각할 수 있으니까.
- 자기 응시를 배우겠어요. 그건 매 순간 일어나는 일이지요?
- 그렇단다.

자기 응시는 분열된 자아를 통합하고 자신에 대해 이해하고 자신을 위해 무엇을 해야 할지 아는 일이다. 무언가를 해낸다. 스스로와 친하고 스스로가 필요로 하는 것을 이해하고 무언가를 해낸다. 그렇게 자기 응시는 자기 존재의 존재함을 이해하는 태도이자 자기 존재가 앞으로 나아가기 위해 필요한 힘이다.

- 저의 존재를 인식하는 건 자기 응시를 통해서인 것 같아요.
- 그렇지. 우리는 자주 여러 일을 해가면서 자기를 응시해야 한단다. 그렇게 일을 정리하고 앞으로의 일을 계획하고 나아가게 되지.
- 때때로 자기 응시의 태도를 갖추겠어요. 그래서 제 삶의 순간순간 무얼 해야 할지 저 자신에게 묻겠어요.
- 그래. 좋구나.

자기 응시가 요청할 때 우리는 자기 존재함을 깨닫게 된다. 스스로의 내면을 가만히 바라보고 무엇을 할지 고민한다. 그렇게 자기 응시를 통해서 삶의 순간순간 모든 것이 무의미하지 않다. 자기만의 삶을 온전히 살아가게 된다.

***

슬픔의 무게가 약간 가벼워졌기를.

그렇게 슬픔은 조금씩 우리 삶의 어디쯤에서 눅눅해져 가라앉아버리고 그렇게 우리는 자기 삶의 어느 순간으로 들어간다.

살아가는 순간순간,
슬픔의 그 어디쯤 서 있던 내가
슬픔의 그 어디쯤 서 있는 그대에게
우리, 그래서 더 잘 살아갈 수 있는 거라고 - .

나가며...

살아가는 모든 순간,
모든 것이 영롱하게 빛납니다.

우주에 우리가 투척되었고
우리는 숙제를 안은 것 마냥
오늘 주어진 삶에 질문을 가집니다.

그리고 저녁 시간이 되고
오늘 괜찮았다고,
그래서 내 삶도, 우주도 괜찮았다고 말합니다.

살아간다는 건
그대에게 어떤 의미로 다가오나요.

그럼에도 불구하고
슬픔의 한 조각 품은 그대와 나.

슬픔의 한가운데를 지나며,
이 낯설고 힘든 기분을
차곡차곡 개어봅니다.

그렇게 살아가는 것이겠지요?

작가의 책들

1. 살아가는 비스킷 한 조각	대학 시절의 이야기. 친구들과의 우정과 공부, 그리고 상실의 순간들.
2. 데저트	한 번도 사랑한다고 말한 적이 없는 자들의 사랑. 불멸의 사랑.
3. 트랜스포메이션	대한민국 청년 이래안을 소환한 미국의 트랜스포메이션 캠프. 두뇌게임 속으로.
4. 러스 퍼거	오크 힐 대학교에 입학하게 된 러스 퍼거. 수많은 재미있는 수업과 성장의 순간들.
5. 거룩한 사자와 잿빛 문	언어의 신으로 발탁된 순수한 소녀 안나 셜릿. 언어 판타지가 시작된다.
6. 에우리디케를 찾아서	단상들과 소소한 이야기들로 채워진 수필집.
7. 그녀를 위하여	마음이 아픈 그녀를 사랑하게 된 청년과 그들의 슬픈 이야기.
8. 시간은 이상해	식물과 대화할 수 있는 리아와 그런 리아를 공들여 사랑하는 준의 이야기.

9. 나이트, 블랙	88편의 영문연작시. 사랑하는 사람을 잃은 여자의 고통 속으로.
10. 타임	지그라는 인물을 통해서 최첨단의 시대를 여는 SF.
11. 인식의 과정	철학적 자기계발서. 무언가를 해내기 위해서 필요한 것은 무엇보다도 인식.
12. Allen's Map and the Lands through It	판타지 소설 <알렌의 지도 속으로> 영문버전.
13. Sketch	소설 <스케치>의 영문버전. 젊은 여류 화가의 기록.
14. Orbit of Us	<우리의 궤도>라는 제목의 소설로 두 사람의 사랑과 그들의 궤도를 그림.
15. Waves	여주인공 진이 화가와 시인으로서의 꿈을 꾸며 살아가는 소소한 일상을 그림.
16. Short Stories for Children	총 24편의 영문 쇼트 스토리를 수록함.

17. 영어의 과정	영어학습서로 영어가 이루어져가는 과정을 체계적으로 담았다.
18. 파울 레더 올슨	젊은 여류 소설가의 소설, 너도밤나무길, 사랑, 그리고 성장을 다루었다.
19. 우리가 사랑한 시간	분명 나와 너의 시간이 있었다. 지금은 그 시절이 증발하고 고통이 느껴진다.
20. 엘레노어 전기	퍼플 멧돼지 족의 수장인 크룩센 아몰의 모험과 전기를 쓰는 것의 의미를 다룸.
21. 알렌의 지도 속으로	알렌 폴 레슬리의 '동화 판타지'가 시작된다.
22. 살아갈 힘을 낸다는 것	격려의 글과 성장의 독려로 이루어진 수필집.
23. 러빙	또다시 찾아온 사랑. 지나쳐간 사랑. 그를 놓기까지 거리를 무작정 걸었다.
24. 영어 구성 연습	영어학습서로 생각을 영어로 표현하는 과정에 집중했다.

25. 몰렌도르의 열쇠1, 2, 3	작가의 처녀작이지만 꽤 늦게 전체가 출판됨. 몰렌도르의 열쇠의 모험 속으로.
26. 스케치	젊은 여류 화가 이드리스 롤마의 그림에 대한 애정과 노력을 그렸다.
27. 세질	인식을 탐구하는 젊은 여성을 다룬 두 편의 소설.
28. 가치론	철학서. 가치에 대해 논의하고 개인과 사회의 가치의 공존과 방향을 모색한다.
29. 계산중입니다	극도로 현실적인 동생과 반대 성격의 언니가 살아가는 모습을 다루었다.
30. 수학의 과정	수학 에세이. 기본적인 수학적 사고를 정리할 수 있는 책.
31. 레버펠리온 - 신들의 전쟁	먼 미래의 이야기. 메케레데스의 등장과 인간의 삶에 대한 고찰.
32. 물리학의 과정	공간 극복을 위한 이론적 사유와 물리학의 사유 방식을 다룬 책.

33. 바나나 튜브	히키코모리 언니와 그런 언니를 아끼는 여동생의 이야기와 그들의 봄.
34. 존재하고 있다	수필과 단상, 그리고 데저트의 속편인 <닐의 기록>을 수록함.
35. 포엠즈	혁명과 잃어버린 자손, 그리고 시인으로 살아간다는 것.
36. 내 이름은 요르까	자폐 소녀의 성장기.
37. 더그 형제들	장난꾸러기 3형제의 모험과 가족애.
38. 체리 나무 그림자	소박한 삶의 모습을 노래한 시집.
39. 일루젼	문학 학교 에퀴메데아에서의 나날들과 내면 속 일루젼에 대한 의미 탐구.
40. 자아를 찾아서	자아를 찾아 떠나는 120개의 단상들.

41. 내 마음속 구름	사랑의 상실과 청춘 시절을 탐구한 시집.
42. 클레이의 정원	자신만의 생각의 뜰인 클레이의 정원. 우리는 가만히 클레이의 정원에 초대된다.
43. 노트	철학 교수의 삶의 모습과 그가 연인을 대하는 자세. 그는 늘 노트를 쓴다.
44. 시간은 이상해	8년 만에 종이책으로 출간된 시간은 이상해.
45. 영시 쓰기 클래스	영어로 시를 쓰는 과정과 방법을 스무 개의 강의로 제시하였다.
45. 슬픔의 그 어디쯤 서 있는 너에게	살아가는 일은 슬픔 속에서 거니는 일이다. 삶과 슬픔을 이야기하는 에세이집.

슬픔의 그 어디쯤 서 있는 너에게

발 행 | 2024년 6월 26일
저 자 | 장현정
일러스트 | 장현정
펴낸이 | 한건희
펴낸곳 | 주식회사 부크크
출판사등록 | 2014.07.15.(제2014-16호)
주 소 | 서울특별시 금천구 가산디지털1로 119 SK트윈타워 A동 305호
전 화 | 1670-8316
이메일 | info@bookk.co.kr

ISBN | 979-11-410-9091-3

www.bookk.co.kr

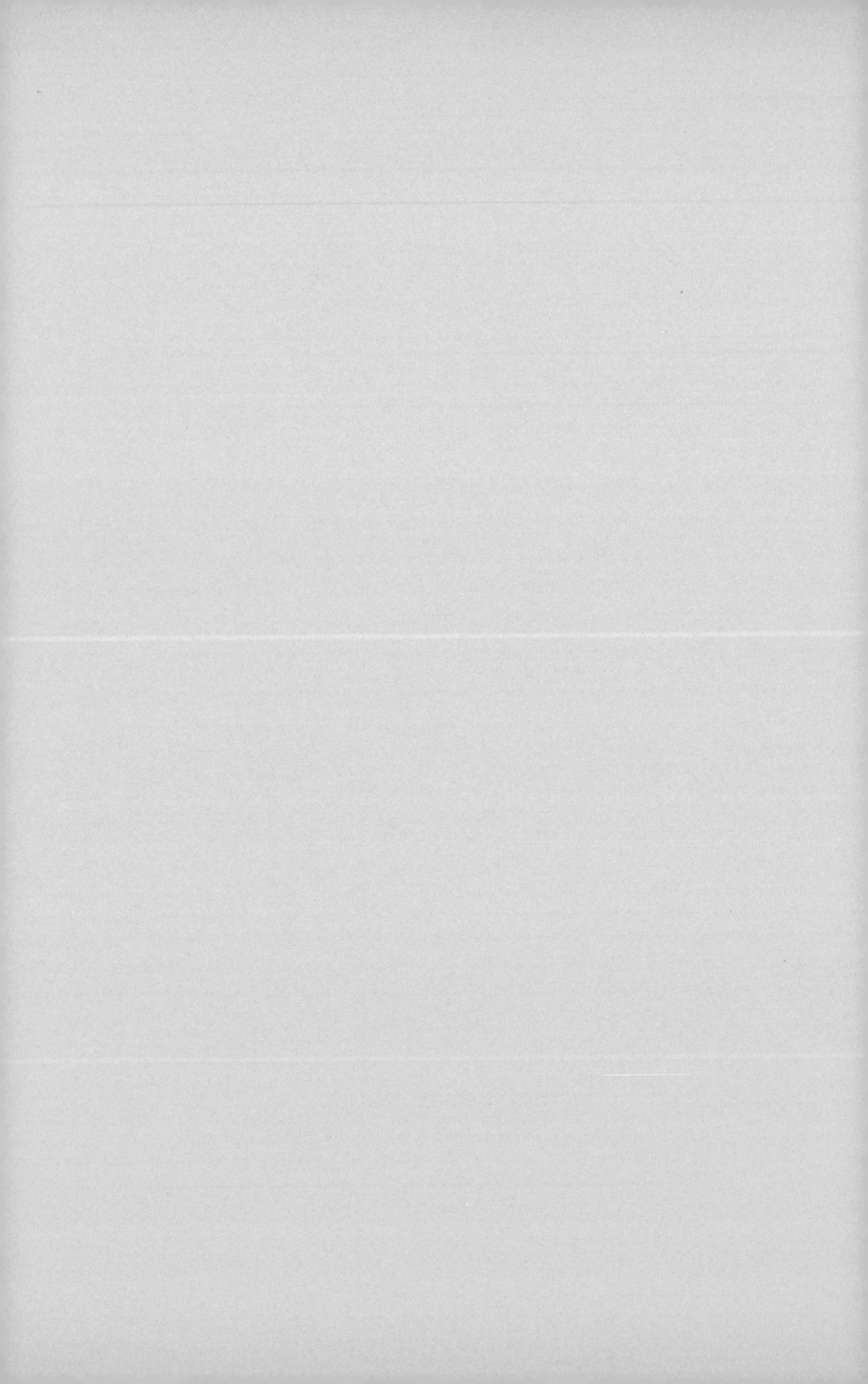